PRÍNCIPE Y SAPO

Para Tony y Lisa - J. E.
Para Valen, Matu y mi princesa Paula - P. B.

Emmett, Jonathan
 Príncipe y sapo / Jonathan Emmett; ilustrado por Poly Bernatene. - 1a ed . -
 Ciudad Autónoma de Buenos Aires: unaLuna, 2017.
 36 p. : il. ; 30 x 23 cm.
 Traducción de: Jeannine Emery
 ISBN 978-987-1849-39-0
 1. Literatura Infantil. I. Bernatene, Poly, ilus. II. Emery, Jeannine, trad. III. Título.
 CDD 863.9282

Título original: *Prince Ribbit*
Traducción: Jeannine Emery
Corrección: Mónica Costa
Diseño: Mariana Salemme

ISBN: 978-987-1849-39-0

© de texto: Jonathan Emmett, 2017
© de las ilustraciones: Poly Bernatene, 2017
© unaLuna, 2017

Originariamente publicado en 2016 por Macmillan Children's Books,
un sello de Pan Macmillan, una división de Macmillan Publishers International Limited.

Distribuidores exclusivos: Grupo Editorial Claridad
Vidal 2649 (C1428CSQ) C.A.B.A., Argentina
Tel.: (54-11) 5219-2259
www.grupoclaridad.com.ar

Queda hecho el depósito que establece la Ley 11.723.
Libro de edición argentina.

Impreso en China, en el mes de marzo de 2017.

Jonathan Emmett   Poly Bernatene

PRÍNCIPE y SAPO

unaluna
GRUPO CLARIDAD

—Y la Princesa y el Príncipe Sapo se casaron y vivieron felices por siempre... —leyó la Princesa Arabela, cerrando el libro con un suspiro de satisfacción.

La Princesa Lucinda frunció el entrecejo.
—¡Esa chica egoísta trató tan mal al Príncipe
Sapo que tuvo suerte de casarse con él!
—Si alguna vez me encontrara con un sapo
que habla, no cometería los mismos errores
—coincidió Arabela.

La Princesa Marta pensó que sus hermanas no eran más que un par de tontas. A ella le gustaban las historias reales más que los cuentos de hadas, y los sapos verdaderos más que los encantados. Había oído el croar de un sapo de verdad en el estanque del reino, pero nunca conseguía encontrarlo.

"Qué animalito tan listo",
pensó Marta.

Marta tenía razón. El sapo era realmente muy listo. A menudo escuchaba a escondidas las historias que relataban las hermanas, y cuanto más oía hablar de príncipes y princesas, más deseaba vivir como uno de ellos.

El sapo soñaba con dormir en una cama suave, cenar platos deliciosos y llevar una corona brillante, y se le acababa de ocurrir una gran idea para hacer realidad su sueño.

—¡PUAAAAAAJ!

—¡Fuera, bicho viscoso! —gritaron
Arabela y Lucinda cuando vieron
aparecer al sapo saltando delante de ellas.

Pero en lugar de volver al estanque,
el sapo carraspeó, respiró hondo
y dijo lo siguiente:

–Permítanme que me presente –dijo el sapo astuto–, yo soy el Príncipe Ubaldo.

Arabela y Lucinda se quedaron mirándolo con la boca abierta.
¡Pero Marta estaba encantada!
–¡Es un SAPO! –gritó–. ¡UN SAPO QUE HABLA!

—Una malvada hechicera me convirtió en sapo, porque soy un príncipe increíblemente apuesto. Si sólo hubiera un modo de romper el hechizo... —dijo el Príncipe Ubaldo.

—¡Pero hay un modo de hacerlo! —exclamó Lucinda—. ¡Está en este libro!
¡Sólo necesitas que te cuide una bonita princesa como yo!

—¡O una bonita princesa como YO! —dijo Arabela—. ¡Y podrás volver a convertirte
en el príncipe increíblemente apuesto que eras y viviremos felices por siempre!

Lucinda y Arabela llevaron al Príncipe Ubaldo de regreso al palacio, y cumplieron todos sus deseos.

Lucinda lo dejó dormir sobre su almohada...

...y Arabela lo dejó comer de su propio plato.

Cuanto más veía la Princesa Marta cómo se comportaba, más sospechaba del sapo.

—¿Por qué lo consienten tanto? —preguntó mientras el
Príncipe Ubaldo se desplazaba dando saltos sobre la mesa.

—Porque es un príncipe encantado —dijo Arabela—, ¡y así se rompe el hechizo!

—Sólo porque esté en un libro, no significa que sea cierto —dijo Marta.

Tras lo cual marchó a la biblioteca del reino para
averiguar toda la verdad acerca de los sapos.

—Una mamá sapo deposita huevos —les explicó a sus hermanas—.
Luego los huevos se convierten en renacuajos, y los renacuajos se
convierten en sapos. ¡Pero los sapos JAMÁS
se convierten en príncipes!

—Sólo porque esté en un libro,
no significa que sea cierto —le
respondieron sus hermanas.

Entonces las princesas siguieron
consintiendo al Príncipe Ubaldo.

Lo dejaron dormir en la cama
más grande y más suave...

...lo vistieron con las prendas más finas
y le pusieron una hermosa corona nueva.

Marta era la única persona que veía al Príncipe Ubaldo por lo que realmente era.

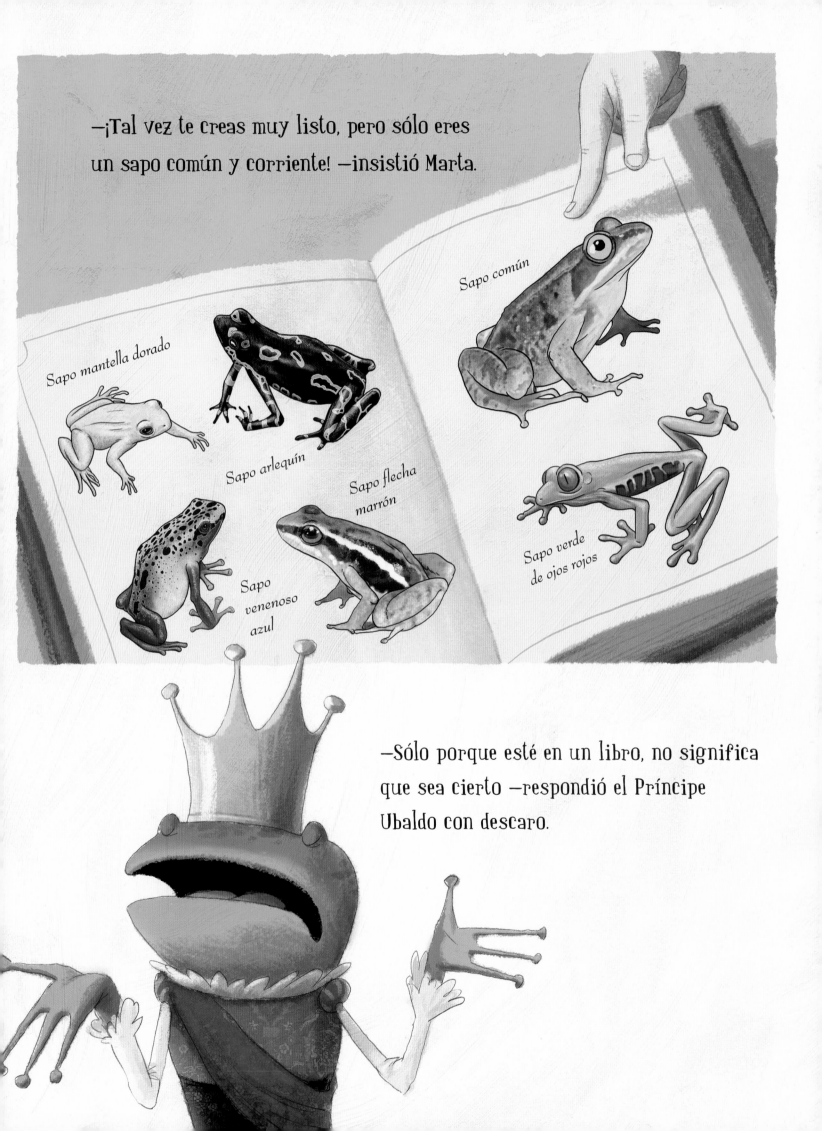

—¡Tal vez te creas muy listo, pero sólo eres un sapo común y corriente! —insistió Marta.

Sapo común

Sapo mantella dorado

Sapo arlequín

Sapo flecha marrón

Sapo venenoso azul

Sapo verde de ojos rojos

—Sólo porque esté en un libro, no significa que sea cierto —respondió el Príncipe Ubaldo con descaro.

—Esto es inútil —pensó Marta—. Por más información que encuentre en los libros, mis hermanas jamás me creerán. Pero supongo que yo cometo el mismo error que ellas. Jamás leo sus libros de cuentos. Tal vez debería hacerlo...

Así que Marta reunió una enorme pila de cuentos de hadas y comenzó a leer.

Le sorprendió hallar que, si bien las historias podían no ser reales, de todos modos y casi siempre, eran graciosas, emocionantes y **UNA FUENTE DE INSPIRACIÓN**.

Y después de que Marta las leyó todas, supo exactamente lo que debía hacer con el Príncipe Ubaldo.

A la mañana siguiente, Marta se acercó al Príncipe Ubaldo.
—Si realmente eres un príncipe encantado, ¿por qué no se
ha roto aún el hechizo? —le preguntó.

El Príncipe Ubaldo se removió inquieto en su pequeño trono
de oro y se acomodó la brillante corona sobre la cabeza.

—Tal vez sea porque no he sido tratado lo suficientemente bien —sugirió.

—¡A mí me parece que te han tratado muy bien! —dijo Marta—. Creo que es hora de probar algo diferente. ¿Qué es lo único que siempre rompe un hechizo?

—¡UN BESO DEL AMOR VERDADERO!

—dijeron muy contentas Arabela y Lucinda.

—¡Yo primero! —dijo la Princesa Arabela, plantando un fuerte y húmedo beso en la mejilla pegajosa del Príncipe Ubaldo.

—Tú no lo amas tanto como yo —dijo la Princesa Lucinda. Le arrebató el sapo a su hermana y le aplastó la cara con un beso fogoso.

Pero por más besos que le dieran, el Príncipe Ubaldo
permaneció siendo un sapo. Y al final las princesas
se dieron cuenta de que eso era lo que siempre
había sido y lo que siempre sería.

—Supongo que tendré que regresar a mi estanque —suspiró el sapo, quitándose su brillante corona de la cabeza. Pero se lo veía tan triste que Marta no pudo evitar sentir pena por él.

—Por favor, no te vayas —dijo con dulzura—. Cualquier animal que sea lo suficientemente listo como para engañar a mis hermanas debe de resultar divertido para tenerlo como amigo. Y si bien no quiero casarme con un apuesto príncipe, ¡ME ENCANTARÍA ser amiga de un sapo tan listo como tú!

Y levantó al sapo para darle un beso suave en la mejilla.

En el instante en que Marta lo besó, estalló una nube de humo color rosa, y el sapo se convirtió en un joven y apuesto príncipe. De hecho, era **TAN** atractivo que Marta decidió que **SÍ** se quería casar con él después de todo.

Así que cayó rendida en sus brazos y ambos vivieron felices y comieron perdices.

Y si éste no es el final que estabas esperando,
entonces recuerda que...

¡Sólo porque esté en un libro, no significa que sea cierto!